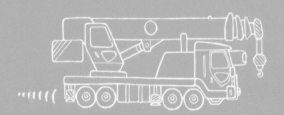

关于本书

　　我们常常会羡慕别人拥有的东西，也常常感到苦恼、失望、自卑，只为自己不能像别人一样出色。为此，我们盲目地做出各种努力，进行很多尝试，到头来都以失败告终。直到有一天，我们发现自己的优点，才懂得每个人都是不可替代的，我们在羡慕别人的同时，也在被别人羡慕着。

　　认识自己、欣赏自己是一件多么重要的事情呀，它是快乐的源泉，更是成功的关键。

　　那个独一无二的自己，永远都是最棒的！

车车认知大画书

checcherenzhidahuashu

铲车棒棒棒

●米吉卡 著　●柳 子 绘

北方妇女儿童出版社
·长春·

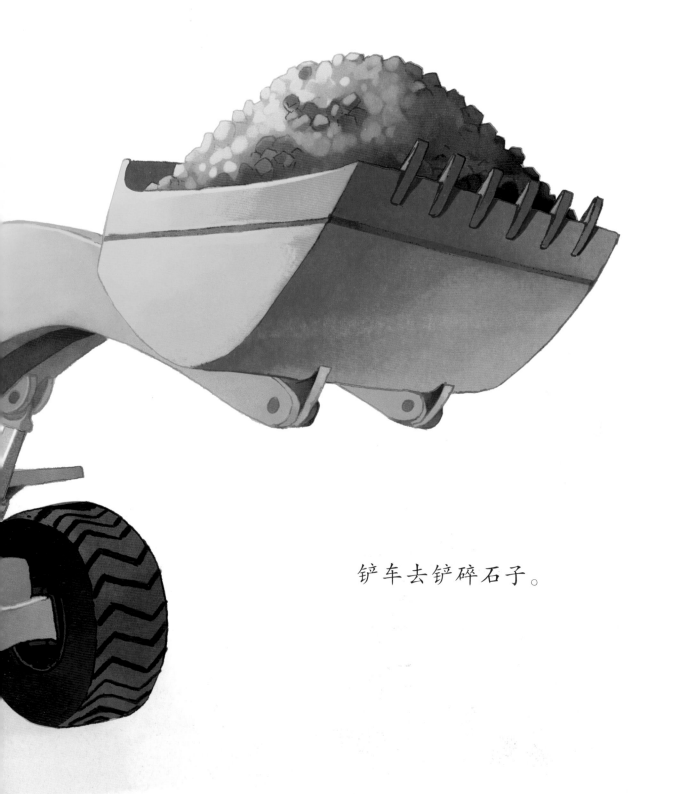

铲车去铲碎石子。

他看到混凝土搅拌车正在搅拌混凝土，大大的搅拌筒咕噜咕噜地转着，真威风！

铲车真羡慕混凝土搅拌车呀!

铲车想:要是我也能
搅拌混凝土就好了。哦,
天哪!

铲车去铲沙子。

他看到大吊车正在把一块钢板吊到楼顶上,吊钩
高高地举起来,好神气呀!

铲车想：要是我也能吊东西就好了。

哎哟，真沉！

铲车去铲土。

他看到挖掘机正在挖一条长长的地下管道沟,挖掘机可真有力气呀!

铲车想：要是我也能挖管道沟就好了。

糟糕，我要怎么出去呀？

铲车羡慕洒水车可以洒水。

羡慕压路机可以把马路压得平平整整。

羡慕翻斗车能拉很多货物。

18

铲车觉得自己太没劲儿了!
雪花从空中飘下来,越下越大。

所有的工程车都
停下来，迎接着今年
的第一场雪。

雪停了，铲车沮丧地耷拉着
铲斗，慢慢向前开去，他的铲斗
刚好把雪铲开，铲出一条干净的
道路。

其他工程车都羡慕地看着铲车。

铲车的大铲斗轻易就能把雪铲开清理道路，多威风呀！

吊车开过来,他想像铲车一样把雪铲走。
可是他失败了,他的钩子可没法铲雪。

翻斗车开过来，他学着铲车的样子把头垂下去，希望能把雪铲开。

不行，翻斗车弄了一身雪也没能把雪铲开。

混凝土搅拌车开过来,他想跟铲车学习铲雪。

要怎么做才能铲到雪呢?混凝土搅拌车实在办不到。

铲车看到大家的样子，忍不住笑起来。
他忽然觉得，做铲车挺好玩儿的。

铲车、挖掘机、吊车、翻斗车、叉车……大家一起来堆雪人。

一个大大的雪人出现了……

图书在版编目(CIP)数据

铲车棒棒棒 / 米吉卡编著 ; 柳子绘. -- 长春 : 北方妇女儿童出版社, 2015.5
（车车认知大画书）
ISBN 978-7-5385-9264-1

Ⅰ.①铲… Ⅱ.①米… ②柳… Ⅲ.①叉车－儿童读物 Ⅳ.①TH242-49

中国版本图书馆 CIP 数据核字(2015)第 074620 号

车车认知大画书 · 铲车棒棒棒

出 版 人	刘　刚	
策　　划	师晓晖	
编　　著	米吉卡	
责任编辑	佟子华　王　贺	
封面设计	巧巧兔工作室	
开　　本	889mm × 1194mm　　1/20	
印　　张	1.6	
字　　数	30 千字	
版　　次	2015 年 6 月第 1 版　2018 年 6 月第 9 次印刷	
出　　版	北方妇女儿童出版社	
发　　行	北方妇女儿童出版社	
地　　址	长春市人民大街 4646 号　邮　编　130021	
电　　话	总编办:0431-85644803　发行科:0431-85640624	
印　　刷	武汉鑫佳捷印务有限公司	
定　　价	12.80 元